Dánta Déanta

Liam Ó Muirthile
i gcomhar le leanaí Mhúscraí

léaráidí le
Olivia Golden

Cois Life
Baile Átha Cliath

An chéad chló 2006
© Liam Ó Muirthile 2006 An Chráin, Usherette, Carraig an tSionnaigh, An
Tarbh, Bodhrán, An Ghráinneog, Le Chat qui Rit.
© Ionad Cultúrtha Bhaile Bhuirne 2006 Na dánta eile.

ISBN 1 901176 60 6

Bord na
Leabhar
Gaeilge

Tá Cois Life buíoch de Bhord na Leabhar Gaeilge agus den Chomhairle
Ealaíon as a gcúnamh.

Mhaoinigh Ionad Cultúrtha Bhaile Bhuirne, Múscraí, soláthar an ábhair
don leabhar seo, idir théacs agus léaráidí.

Léaráidí: Olivia Golden
Clúdach: Eoin Stephens
Clóbhualadh: Criterion Press, Baile Átha Cliath

Foilsithe ag Cois Life Teoranta: www.coislife.ie
Cois Life, 62 Páirc na Fia, Bóthar na Tulchann, Baile Átha Cliath

Réamhrá

Nuair a luaitear litríocht cheantar Mhúscraí, ritheann ainmneacha linn go tapaidh – An tAthair Peadar Ó Laoghaire, Tadhg 'An Táilliúir' Ó Buachalla, Seán Ó Ríordáin, Máire Bhuí Ní Laoghaire, agus Conchubhar 'Máistir' Ó Ríordáin. Tá saothar acmhainneach litríochta tagtha ón gceantar Gaeltachta seo i gContae Chorcaí. Ní hamháin go raibh an scríbhneoireacht go láidir sa cheantar tráth, ach tá sí ann inniu. Bíonn Dámhscoil ar siúl go bliantúil sa cheantar i mí Eanáir ina dtugtar deis do dhaoine dánta a scríobh agus spreagtar iad chun a gcuid filíochta a léamh agus a chur os comhair an phobail.

Tá obair forbartha sna healaíona ar bun san Ionad Cultúrtha i mBaile Bhuirne le tamall anuas – ceol traidisiúnta agus amhránaíocht sean-nóis, ranganna dearcealaíne d'aosaigh, taispeántais dearcealaíne, ceolchoirmeacha traidisiúnta agus clasaiceacha, ceardlanna agus taispeántais rince comhaimseartha agus imeachtaí eile. Is é bunaidhm an Ionaid Chultúrtha na healaíona trí Ghaeilge ar ardchaighdeán a chur os comhair an phobail. Dá réir sin, bhíomar an-sásta nuair a ghlac Liam Ó Muirthile leis an gcuireadh a bheith ina scríbhneoir cónaitheach i gceantar Mhúscraí i dtosach na bliana 2005. De thoradh a pháirtíochta tugadh deis do dhaoine óga a bheith gafa i bpróiseas cruthaitheach agus cumas na scríbhneoireachta á roinnt leis an gcéad ghlúin eile.

Tá neart saothair scríofa ag Liam Ó Muirthile – filíocht, prós agus drámaí – chomh maith leis an tréimhse oibre a chaith sé in RTÉ mar thuairisceoir agus an obair a dhein sé in *The Irish Times* mar cholúnaí. Bhí sé ina scríbhneoir cónaitheach sa Centre Culturel Irlandais i bPáras i 2003. Mar chuid de chlár ceiliúrtha Chathair Chorcaí, príomhchathair chultúrtha na hEorpa, bunaíodh cláracha pobail. Orthusan bhí an scéim chónaitheach seo – le maoiniú ó Chorcaigh 2005 i dteannta leis na Cumainn Chreidmheasa agus Ealaín na Gaeltachta.

D'oibrigh an Muirthileach ar feadh sé mhí le daltaí bunscoile le linn dó a bheith sa cheantar, chun suim sa bhfilíocht a mhúscailt i measc an aosa óig agus chun na daoine óga seo a stiúradh i dtreo na cumadóireachta. Comhiarracht a bhí i gceist, an scríbhneoir i mbun an stiúrtha ag spreagadh na leanaí lena gcuid iarrachtaí, á múnlú le lámh chuiditheach agus iad i bpáirt le chéile i bpróiseas cruthaitheach taitneamhach. Is é an cnuasach álainn seo toradh na tréimhse sin.

Ní bheadh a leithéid de chnuasach ann murach sárobair Uí Mhuirthile i dteannta na ndaltaí go léir a ghlac páirt sa tionscadal seo – 96 san iomlán. Mo bhuíochas go speisialta le Liam Ó Muirthile as ucht a chuid oibre agus a chuid gairmiúlachta.

Mo bhuíochas chomh maith leis na daoine seo a leanas:

Na rannpháirtithe go léir ó Scoil Náisiúnta Bhaile Bhuirne, Scoil Náisiúnta Chúil Aodha, Scoil Náisiúnta Bharr Duínse, Scoil Náisiúnta Ré na nDoirí, Scoil Náisiúnta Chill na Martra, agus Scoil Náisiúnta Bhéal Átha an Ghaorthaidh.

Na príomhoidí agus na múinteoirí sna scoileanna sin.

Na maoinitheoirí uile: Coiste Ghairmoideachais Chontae Chorcaí agus an Roinn Gnóthaí Pobail, Tuaithe agus Gaeltachta, Corcaigh 2005, Ealaín na Gaeltachta, An Chomhairle Ealaíon, Comhairle Chontae Chorcaí, Comhairle Chathrach Chorcaí, agus Create.

Is í Olivia Golden a dhein na léaráidí. Tá saothar suntasach ealaíne déanta ag Olivia Golden i leabhair eile leis an Muirthileach – *Gaothán* agus *An Seileitleán agus véarsaí seilí eilí* – agus is breá linn gur thoiligh sí oibriú leis arís chun an cnuasach seo a mhaisiú.

Bríd Cranitch
Ionad Cultúrtha Bhaile Bhuirne,
Contae Chorcaí

Fómhar 2005

Clár

Tá Ionad Cultúrtha Bhaile Bhuirne an-bhuíoch de na hurraithe agus de na páirtnéirí seo a leanas a bhfuil a gcuid lógónna thall, as an gcúnamh a thug siad chun na ceardlanna agus an tionscadal scríbhneoireachta a eagrú.

Príomh-mhaoinitheoirí

Maoinitheoirí agus páirtnéirí eile sa tionscadal scríbhneoireachta

 An Roinn Gnóthaí Pobail, Tuaithe agus Gaeltachta
Department of Community, Rural and Gaeltacht Affairs

CORK CITY COUNCIL
COMHAIRLE CATHRACH CHORCAÍ

Supporting Arts Development and Practice in Ireland

An Chráin

Luigh sí sa bhrothall ag tál
ag leathadh teas lárnach
as a bolg cránach
ar an ál.

D'oscail leathshúil i dtámh,
dhún is lean an scannán
di féin i bpáirt an leannáin
ar snámh

Go hard os cionn an chró,
ag déanamh iontais di féin
na mílte i gcéin sa strataisféar
gan stró.

Sonc, soc ag tóch go docht,
banbhaí ag greamú útha
ag diúl le sult go dlúth
ag gnúsachtach.

Phriocas í le stumpa de mhaide
d'éirigh sí ar deargbhuile
ropas liom ón ruaille buaille
de rite reaite.

Thug sí na blianta lem sháil,
ag déanamh ar dhoras cúil
gan ionam breith
ar m'anáil.

Maith dhom an stiall a chráin,
ní raibh ionam ach garsún
mise le fada i m'fhear, tusa
fadó riamh id bhagún.

Láchan

Ceol na n-éan
leis an lá,
oiread ann acu
ag ceiliúradh
cois locha

Go sroicheann
a ngleo *crescendo,*
'steallann ina dheoch
ar an loch
le diúgadh.

Beach Mheala

Deineann sí rince
triopallach lena proimpe
ag siúl sna buataisí arda
thar bráid,

Á rá leis na beacha
chun saothair ar an scafall
cá bhfuil an mhil
le fáil.

Usherette

Tagann sí i leith chugainn ar bogshodar
    chun fáilte a chur romhainn ag an
ngeata. Bhí sí ag súil le cuairteoir a sheasódh
    léi tamall, duine a dhéanfadh dreas
ar chúrsaí an bhaile. Stopaimid chun beannú di.
    Tá a moing fhlúirseach ar sileadh
lena súile is le croitheadh a cinn scuabann sí
    a folt go hoilte thar na cluasa. Tairgím úll
di ar mo bhois is itheann sí é le dúil an iontais,
    a súile chomh buíoch den bholgam blasta
go nochtann sí a draid in íochtar smeartha
    le súlach glas na gcluainte, á rá, 'féach anois
is é Dia a sheol chugam sibh.' 'Usherette' a thugais
    ar an bpónaí, mar gheall ar an moing gháifeach,
bean an tráidire sólaistí fé spotsholas sa Savoy idir
    scannáin. Bhímis chuici inár scuaine ar mhaithe
le radharc *close-up* uirthi is moill bhreise a dhéanamh,
    oiread is a ligfeadh na pinginí dúinn a fháil.
Bhí leisce orainn í a fhágaint, ag sróinínteacht
    go grámhar, agus filleadh ar an ngluaisteán.
Solas a chuaigh as agus sinn ar ais inár suíocháin.

Cadhan Aonair

Tá sé leis féin
ó sciob an sionnach
an lacha chun siúil.

Gan dúil
i min, pluda ná lathach,
ach á lorg anso is ansúd.

A chleití
síos go talamh ó d'imigh
an cleite ba bhreátha ina chlúmh,

Bardal san airdeall
ag súil leis an vác is lú
a bhainfeadh an scamall dá chrúb.

Meáig

Tá fean déanta aige
de sciathán amháin
ag piocadh a chleití
gáifeacha sa chrann,

Ag maíomh as an obair
mhaidine a dhein sé,
lon a chnagadh
ceann ar aghaidh

I gcoinne fuinneog
an tí a bhain stad
asam nuair a chonac
é sínte crólag.

B'fhearr ligint dó féin,
b'in é dlí na n-éan
ba bheag an chabhair
dó mo lámh chúnta.

Tháinig sé chuige
féin tar éis tamaill
nuair a ghlan an
mearbhall is d'eitil.

D'fhan an mheáig
ag feanáil a ghaisce,
an chuid is measa
dá shaothar in aisce.

An Leon sa Rang

Tháinig Leo Leon
isteach sa rang
maidin Luain
is d'ith mo lón.

'Haidhe, a alpaire leoin
cén fáth ar ith tú
mo lón?'

'Tá orm brón
mar bíonn tútú ar mo thóin
is fáinne géar trím shrón,
sa sorcas.'

'Ní thugann siad le n-ithe dom
ach gob préacháin is ológ
is bíonn ocras mór im bholg
sa sorcas.'

'Teastaíonn uaim dul abhaile
'dtí mo mhuintir féin san Afraic,
mar sciobadh uaim mo choróin
sa dufair.'

'Seo dhuit ticéad eitleáin
a cheannaíomar le bailiúchán
is seol abhaile amárach
go Mombasa.'

Thugamar dó ár gceapairí aráin
is ag an aerfort d'fhágamar slán
is slán go deo a Leo Leon,
slán, ambasa.

Bó na Leisce

Tá bó agam sa bhaile
tá sí donn mar chnó,
is breá léi min agus sadhlas
a ithe istigh sa chró.

Tugann sí an geimhreadh fé dhíon
i scioból te teolaí,
is breá léi dul ag sciáil
ar shléibhte sneachta Mhúscraí.

Ansin nuair a thagann an samhradh
téann sí amach sa pháirc,
is síneann sí siar fén ngrian
le spéaclaí dubha agus *suntan oil*.

Tá bó agam sa bhaile
tá sí *tan*áilte ó bhonn go baitheas
is í an bhó is leisciúla ar domhan í
a mhaireann i ríocht na bhflaitheas.

Carraig an tSionnaigh

Baineann an sionnach cathrach
stad glan as ár siúl oíche
agus é ag imeacht roimhe
ar nós cuma liom ar an gcosán.

Dá mbeadh treabhsar air
bheadh an dá lámh
sna pócaí ag an rábaire,
é ag portaireacht os ard
ag tarraingt cic ar channa stáin.

Gan aon ní fén spéir ghlan
ag cur tinnis air,
an bhean ná an chlann sa bhaile
na bealaí éalaithe as an bhfaiche
an bus deireanach ón gcathair
ná téamh domhanda fiú amháin.

Léimeann ar bhosca bruscair
is téann ag smúrthacht,
croitheann a chloigeann
is anuas leis de phreab
ag féachaint inár dtreo
á rá: 'An stuif leamh
céanna go deo'.

Crochann a smut san aer
ag bolathaíl chuimhne an áir,
scaipeadh na gcleití
ar urlár cré an bhotháin,
an fhuil úd ag éirí
ionainn féin ina dhiaidh
i gCarraig an tSionnaigh
ina rince fiaigh fiáin.

Pegasus

Le capall is mó
a bhí dealramh aige
ina chloigeann maorga,
is chuirfeadh sé féin
na héin ag eitilt
lena chaint.

Dúirt sé
gur le capaill is mó
a labhraíodh sé;
is tháinig dhá chluas
na héisteachta air
mar a bheadh sé
ag tiúnáil isteach
ar mhinicíocht na n-each,
ar chuma aeróg sean-raidió
a chrochfaí amuigh ar sceach,
na tonnta fuaime ag líonadh
is ag tréigean ar an aer,
mar áiméan slua ag freagairt
is á scuabadh ag an ngaoth.

Dúirt sé féin oíche
gur chuir ár gcuid seanchais
an ghaoth féna sciatháin;
is d'éirigh sé ó thalamh
Pegasus fé sciatháin,
capall agus éan
san aon neach amháin.

Lampáilte

Tá sí stánáilte fé sholas an lae
múchta ar fad istigh
mar a bheadh coinín
ina cholgsheasamh
lampáilte.

Geit a baineadh aisti fadó
solas a casadh ar siúl
a chuir as an bhfolach
codlata í sa chóitín
luachra.

Magairlín na Beiche

Tá cuma na beiche
ar a liopa íochtarach
dath donn le stríocaí buí.

Meallann sí na beacha
chun dul ag suirí léi
na fireanna mar chéilí.

Is dóigh leo féin
gur beach díobh féin í
is téann siad sa bhfáinne fí

Leis na bláthbheacha
ag rince allais i mbun seite
ag pailniú magairlín seiftiúil na beiche.

An Banbh ón Úcráin

Tá banbh agam sa bhaile
a tháinig ón Úcráin
is maith léi buidéal bainne
le siúcra agus slaghas aráin.

Deineann sí scrios ar an talamh
tá marcanna dubha ar a corp,
nuair a ólann an banbh bainne
ligeann sí cúpla 'burp'.

Pineapple is ainm di,
níl fhios agam cén fáth
go mbeadh *pineapple* ar bhanbhaín
a tháinig ón Úcráin.

Dá mba bhanbh í ón Afraic
abair Côte d'Ivoire,
bheadh ciall ansin le *pineapple*
mar fásann siad ann thar barr.

Ach níl *pineapples* san Úcráin
titeann an iomarca sneachta
is bíonn na locha reoite ann,
ní hionann is Cill na Martra!

An Tarbh

Dhá thonna trom-mheáchain
agus lasc iarainn ann
mar atá ag dornálaí
a raghadh an bealach ar fad,
agus a shúil ag at
le cnap fola, fuáilte,
ach ná caithfeadh isteach
ar sparán na Bó Finne
cúinne tuáille.

Tá cnapán leis ina shúil sin
ón lá a léim sé thar an bhfál deilgneach
is bhris amach;
d'fhág sé súil amháin ar sileadh
le buile leis an sceach.

Ní féidir le héinne beo
dul ina chró
gan é a cheangal
le slabhra ancaire dingthe;
fós bíonn a shúil
ag glinniúint as an gceo deirge
a luíonn anuas ar a mhullach
ina scamall feirge.

Leag sé mo sheanathair go talamh lá,
luigh ar a chliabh lena ghlúine,
chaith triúr teacht i gcabhair air
le pící is le gunna;
thuig sé ina dhiaidh
rún an duine
a thiocfadh slán as smionagar
foirgnimh fiche urlár
a thit air i gcrith talún.

Cloisim é ag búirthíl
mar a bheadh ceobhuinneán
ag fógairt dainséar carraige.

'Fááág, fááág an áit uaim'
i nglór doimhin na farraige.

A
SchnozzyplumpleflumpydumpleschnizzerMc bizzhherwhopperschnopper

A
SchnozzyplumpleflumpydumpleschnizzerMcbizzhherwhop
perschnopper
is a most peculiar creature,
it oggles one way and whozzles the other on its fifty-two
and a half
tentacles (a long reacher).
To catch its prey it poisons it with its fatal, frightening,
toxic flatulence.

It has a body covered in prickly, purple fur called schpell,
it eats its nose at a young age to avoid its own smell.
The first thing a
SchnozzyplumpleflumpydumpleschnizzerMcbizzhherwhop
perschnopper
does when it's born is whopple out and breakdance on a
flemping
piccer fooshnaull pitch.
This ambiguous creature's prey is snobberwich,
which is like a warthog except with a hint of honeyroast
Chigbog.

I saw a you-know-what one day
whose name is now too long to say,
it lay on its furry back all lazy.
Though the schmogmobile picture's hazy
I think it had five eyes on stalks.
'Twas surprising how loud it squawks!
His neck's as long as a cargo train,
Apart from this it's pretty plain!

Gearrcach

Buaileann sé an fhuinneog
an gearrcach loin
gan a chlúmh lánfhásta
ina sciatháin.

Muran damhán atá uaidh
nó breall a mheall é
chun breathnú ar a scéimh
i scáthán.

Tagann a athair is míol ina ghob
filleann siad ar an nead
tugaim bricfeasta 'dtí an bord
ubh don leaid.

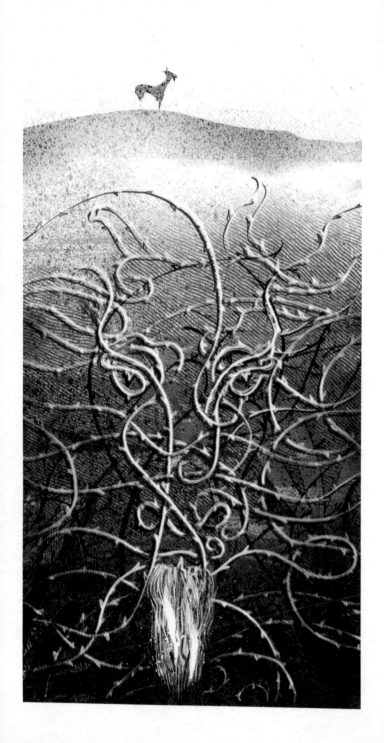

Bodhrán

Bhí seithe an ghabhair
fé shalann sa bhairille
is bheadh sí chomh mín
le tóin bunóice
nuair a scúmhfaí
gach ribe 'en chlúmh.

Bhí fraoch ón sliabh
is aiteann sa chraiceann
a choinnigh greim docht
ar gach fréamh ghruaige
a bhí fuaite isteach
le mianach an phoic.

Leagfadh an boladh
le buille dá adharca
idir an dá shúil tú,
is dhéanfadh cnap arís díot
sínte ar an talamh
do bholg thart ar do ghuailne.

Thugamar isteach.
Chuamar ag gabháil de
le rásúir is sceana faobhair
is bhaineamar ab fhéidir
a bhaint dá chlúmh,
chomh garbh le clocha gairbhéil.

D'fhágas meigeall ar an imeall
crochta thar an bhfráma,
is d'éirigh an druma mín
le cnagadh na mblianta,
ó am go ham á chlos
fém bhois ag meigeallach ón síoda.

Capall Glas Chúil Aodha

Is mé capall glas Chúil Aodha
níl a fhios ag éinne beo mo bhrón
dá mbeadh tairní géara i do bhróga-sa
bheadh poill mhóra agatsa i do shrón.

Tá an t-ádh liom go bhfuilim beo
d'imigh mo chlann uaim ar fán,
tá mo chroí chomh trom leis an gceo
ó d'imigh mo bhean leis an gcapall bán.

Sneáidíos

Toch-tochas toch-tochas
Feithidí ag breith ubh.
Cad as a dtagann feithidí?
Cén fáth ar maith leo folt?

Braithim iad san oíche
díreach roimh dul a chodladh,
tá na milliúin feithidí sna rithidí im cheann
ag blaiseadh is ag sú mo chuid fola.

Sin cníopaire laistiar dem chluas
ag priocadh is ag scríobadh,
is diabhal buí eile ag rás fé luas
an cladhaire ramhar ríoga.

Sin ceann groí eile le piocóid
ag dreapadh ar mo bhaithis,
is clann iomlán amuigh chun lóin
iad sásta ins na flaithis.

Ba mhaith liom go dtiocfadh Mam
isteach chugam insa leaba
chun na sneáidíos gránna a mharú,
ach, ná gearr mo mhothall fada.

Pus na Dúide

Bhí na scéalta ar bharr a ghoib
ó bheith sínte i dtóin an tí,
a ainm in airde sna cait
Pus na Dúide an seanchaí.

Crónán fiain Chait na bhFiann
An Cat Dubh a dhein gaisce
An Bob a bhuail Tomáisín
Rógaire Cait Ghleann Fleisce.

Bhailíodh na cait le chéile
san oíche ar lantán
chun éisteacht le Pus na Dúide
ag mí-abháil is ag crónán.

'Abair an ceann arís, a Dhúid
a dúraís an oíche cheana,
fén gcat a thug na cosa leis
as Béal na bhFiacla Sceana.'

Bhain Dúid amach an dúidín
agus chaith uaidh cúpla seile,
ba bheag nár aimsigh puisín
ach dhúisigh Dan as a chodladh.

'Cat lom sléibhe a bhí ann fadó
a mhair i nGort na Scairte,
ab fhearr riamh ag imirt chártaí
is bhailigh sé suas a phaca....'

Is thit ar chait an draíocht
le linn insint ar an eachtra
a bhain den chleasaí riabhach
a mhair i nGort na Scairte.

Mar a fágadh é gan euro rua
oíche i dtigh an tábhairne
gur imir Cleas na dTrí Chártaí
le strae ó Chill Airne.

Mar a chuir sé chun farraige
i long seoil is é breoite
thuas sa chrann ag faire
is a cheithre lapa reoite.

Mar a thug sé criú na loinge
slán tar éis na stoirme
ag breith ar iasc le n-ithe
i lár na mara goirme.

Is mura gcreideann éinne
na scéalta ag Pus na Dúide,
éist go géar leis an gcrónán
a bhíonn ar siúl ag Cat na Clúide.

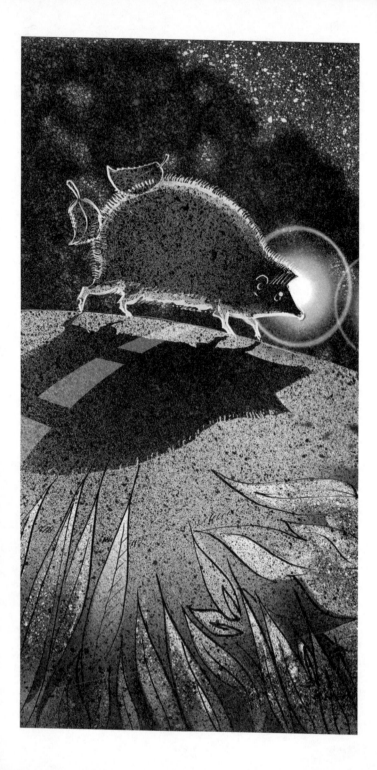

An Ghráinneog

Bruis í ar rothaí
ag scuabadh fan na talún,
tá a fhios aici rún
éigin fúinn nach eol
don saol mór.

Feoiliteoir is codlatán
meileann sí gach seilmide
sa ghairdín
chomh humhal
le glantóir
ná beadh a fhios agat
í bheith ann.

An eol di féin an greann
a bhainimid as an mburla teann
mar chosaint ar ghadhair
is gach dream eile ar domhan?

Tugaim stracfhéachaint
fén mbothán
mar a bhfuil nead aici
sna nuachtáin
i bpíobán plaisteach;
nochtóidh sí
as an díthreabh aisteach
aon lá feasta
lom go cnámh ar nós Céile Dé
saonta, naofa.

Gan de namhaid aici
ach an saol saolta,
is na gluaisteáin
ná haithníonn sí chuici
san oíche.

Iarnálann siad den talamh í
ina blub-blub rubair,
caochta choíche.

An Crogall agus an Cat

'Léim in airde ar mo dhrom'
 arsa an crogall leis an gcat,
'Is tabharfad síob duit
 trasna na habhann.'

'An dóigh leat gur amadán mé?
 Bhéarfá ar scrogall orm,
 Is chasfá an phíob ionam
 ag dul trasna na habhann.'

'Tá iasc ar an mbruach thall
 a líonfaidh do ghoile,'
'Bhí fuiseog agam ar maidin
 is ní mian liom a thuilleadh.'

'Bíonn uaigneas san uisce orm
 is ag luí insan láib,'
'Faigh crogaillín duit féin
 a dhéanfadh tochas ar do chnámh'.

'Féach isteach i mo bhéal
 tá m'fhiacla ar fad lofa,'
'B'fhearr dul 'dtí an fiaclóir
 is iad a fháil stoite.'

Is lean an cat groí
 ag siúl cois na habhann,
Is lean an crogall dúr
 ag slogadh láib dhonn.

Le Chat qui Rit

Tá sé ina rí
ar a ríocht féin
ag dul ó bhord go bord.

Síneann a chorp
le cos is cathaoir
á dheimhniú go bhfuil compord

Is bheith istigh
ag an slua i mbun béile
chomh mór is atá aige féin

Ina róbaí
ag bronnadh féile ar gach éinne,
a dhá chluais ag gobadh trína choróin

Os cionn a gháirí,
is sinn ar tí dul i mbun lóin,
tugann a bheannú ríoga 'Bon appétit'.

An Lon

An t-éan beag
a lig fead
as rinn ghoib
ghlanbhuí,

D'ardaigh
an díon dá nead
os cionn linn
na Carraige Duibhe.

Liosta Rannpáirtithe

Scoil Náisiúnta Bharr Duínse
Meadhbh Ní Thuama
Cora Ní Dhúill
Dermot Ó Ceallaigh
Seán Mac Éibhinn
Pádraig Ó Tuama
Chloe Ní Thuama
Hannah Nic Éibhinn
Niall Ó Ceallaigh

Scoil Náisiúnta Chúil Aodha
Jack Mac Risteard
Louise Ní Bhriain
Meadhbh Ní Dhuinnín
Séamas Ó Súilleabháin
Jazmin Nic Risteard
Shauna Willems
Pádraig Ó Céilleachair
Eilis Ní Iarlaithe
Aoife Ní Mheachair
Cliadhna Ní Dhuinnín
Muireann Ní Luasa

Scoil Náisiúnta Ré na nDoirí
Denise Ní Thuama
Dáire Mac Lochlainn
Criostóir Ó Deasúna
Conchúr Ó Murchú
Máire Ní Uidhir
Aisling Ní Chróinín
Linda Sprunka
Aoife Breathnach
Sorcha Ní Sheighin
Caoimhín Ó hUidhir
Janis Sprunka

Scoil Abáin Naofa, Baile Bhuirne

Bill Ó Corcoráin
Mark Ó hUidhir
Diarmuid Ó Liatháin
Sarah Ní Dhuinnín
Linda Ní Mhurchú
Niamh Nic Pháil
Michelle Ní Armáin
Máire Ní Chorcora
Brenda Ní Laoire
Leighanne Ní Argáin
Seán Ó Liatháin
Éamonn de Róiste
Peadar Ó Cróinín
Cal Mac Cárthaigh
Donncha Ó Loingsigh
Micheál Ó Donnchú
Tomás Ó hÉalaithe
Amy Ní Dheasúna
Máire Ní Shuibhne
Nóirín Nic Charthaigh

Scoil Náisiúnta Chill na Martra

Conchubhar Ó Cróinín
Deaglán Ó Síocháin
Donncha Ó Leighin
Domhnall Ó Críodáin
Pádraig Ó Góilidhe
Stiofán Ó Conaill
Antaine Ó Conaill
Áine Ní Chuna
Andrea Ní Ríordáin
Eilín Ní Chróinín
Eimear Ní Mhurchú
Laura Ní Chríodáin
Muireann Ní Dhuinnín
Stephanie Labrosse
Keith Wynroe
Cian Ó Ríordáin
Cathal Ó Ríordáin
Conchubhar Ó Corcora
Dónal Ó Conaill
Nollaig Ó Loingsigh
Seán Ó Duinnín
Tomás Ó Cathasaigh
Cáit Ní Dhuinnín
Louise Ní Dheasúna
Amy Ní Thuama

Scoil Náisiúnta Naomh Fionnbarra, Béal Átha an Ghaorthaidh

Maighréad Ní Cheallacháin
Laura Ní Thuama
Laura Ní Laoire
Bríd Ní Dhonnchú
Caoimhín Ó Buachalla
Dónal Ó Laoire
Diarmuid Ó Laoire
Éanna Ó Duinnín
Seán Ó Coill
Darren Ó Coill
Donnagh Ó Duinnín
Pól Ó Liatháin
Liam Ó Críodáin
Ruairí Ó Coincheanainn
Marc Ó Loingsigh
Rachel Ní Mhuimhneacháin
Síobhán Ní Liatháin
Pól Ó hUrdail
Cian Ó Duinnín
Ross Ó Laoire
Seán Ó Donnchú
Ben Seartan
Marvin Latour
Alex de Búrca
Alex Ridgway Breathnach

Nóta eagarthóireachta

Mar is gnách, is iad foirmeacha oifigiúla na logainmneacha mar a údaraítear iad in
An tOrdú Logainmneacha (Ceantair Ghaeltachta) 2004
a úsáidtear sa leabhar seo.

Dá réir sin, ní hionann iad i gcónaí agus na leaganacha áitiúla.